SALSA EN LA HABANA

Jaime Corpas
Ana Maroto

Primera edición, 2015
Segunda edición, 2016
Tercera edición, 2017

Produce: SGEL – Educación
Avda. Valdelaparra, 29
28108 Alcobendas (Madrid)

EDICIÓN: Mise García
CORRECCIÓN: Ana Sánchez
DISEÑO DE CUBIERTA E INTERIOR: Alexandre Lourdel
ILUSTRACIONES DE CUBIERTA Y DE INTERIOR: Pablo Torrecilla
MAQUETACIÓN: Alexandre Lourdel

ISBN: 978-84-9778-819-9

DEPÓSITO LEGAL: M-34641-2014
Printed en Spain – Impreso en España

IMPRESIÓN: V.A. Impresores, S.A.

ÍNDICE

FITUR

INVIERNO

La Feria[1] Internacional de Turismo, Fitur, empieza la última semana del mes de enero en Madrid. Profesionales del turismo de España y de otros países llegan a Madrid para visitar la feria.

Visitar Fitur es viajar por los cinco continentes. Caminar por la feria es caminar por las calles de Buenos Aires, Bogotá o Río de Janeiro, en América del Sur; o por las viejas plazas de París, Londres o Roma, en Europa. Los visitantes pueden comer platos asiáticos, beber té japonés, o conocer el arte africano.

—Mamá, ¿dónde está Cuba? —Marina camina por un pasillo largo, pero no ve el puesto[2] de su país favorito.

—No sé, Marina. ¡Ahí está México! ¡Voy a entrar!

—Papá y Lucas no vienen detrás de nosotras —dice Marina.

—Si nos perdemos, nos vemos a las ocho menos cuarto en la entrada —dice Carmen.

Marina oye una música cubana y va hacia allí.

1 *Feria:* lugar que visita el público para conocer los nuevos productos de un sector.

2 *Puesto:* espacio en una feria o en un mercado para exponer productos.

Los Fernández viven en Madrid, en una calle pequeña y estrecha, en el centro de la ciudad. Todos los años van a Fitur porque les gusta mucho viajar. Durante la semana, de lunes a viernes, no pueden ir. Lucas, que tiene veinte años, va a la universidad; Marina, de diecisiete, va al instituto, y Paco y Carmen, sus padres, trabajan. Paco tiene cincuenta años, es dibujante y trabaja en una revista como diseñador gráfico. Carmen tiene cuarenta y ocho años y trabaja en un despacho[3] de abogados. Pero el fin de semana, todos cogen el metro cerca de su casa y se bajan en Parque de las Naciones, donde está la feria.

—Papá, ahí, en el puesto de Vietnam, tienen comida, ¿vamos? —Lucas habla con su padre, pero su padre no contesta, porque no está con él.

Su padre, Paco, bebe un chocolate en el puesto de Guinea Ecuatorial. Hay empleados vestidos con ropa tradicional. Los visitantes se ponen máscaras[4] africanas para hacerse fotos.

—¿Le gusta el chocolate? —pregunta un empleado.

—¡Sí, está muy bueno! —responde Paco.

Marina llega al puesto de Cuba, donde unos jóvenes con ropa de fiesta bailan salsa[5]. Ella va a clases de salsa y sabe bailar un poco. Los mira con la boca abierta[6]: son muy buenos.

—¿Quieres visitar mi país? —le pregunta una empleada.

—¡Sí! Pero no tengo dinero para viajar tan lejos.

—Hacemos un sorteo[7] para este verano. Puedes ganar un viaje a La Habana para dos personas —la empleada cubana le da un papel y un bolígrafo.

---

3 *Despacho:* oficina.

4 *Máscara:* se pone en la cara, por ejemplo, en Carnaval.

5 *Salsa:* música de origen afrocubana típica del Caribe.

6 *Con la boca abierta:* con sorpresa.

7 *Sorteo:* juego en el que la gente puede ganar un premio.

MÉXICO
Cuba

—¿Y qué hago?

—Escribes tu nombre, dirección y teléfono aquí. ¡Suerte!

Marina escribe. Es difícil ganar un sorteo, pero ¿quién sabe?

Las puertas de Fitur cierran a las ocho de la noche y son las siete y veinte. Lucas sale del puesto de Australia y mira en el de Marruecos. «¡¿Dónde está su familia?!». Está cansado.

—¡Lucas!, ¡hijo! Estoy aquí —Carmen camina hacia él—. ¿Dónde están tu hermana y tu padre?

—No sé, mamá —Lucas se sienta en una silla.

—¡Mamá! —Marina camina hacia su madre y su hermano—. En el puesto de Cuba hay un sorteo para viajar a La Habana. El viaje es para dos personas. Si gano, ¿vienes conmigo?

—No es fácil ganar un sorteo, hija —dice Carmen.

—Pero ¿y si gano? —pregunta Marina muy alegre.

—Eso es imposible, tonta[8] —se ríe Lucas.

—¡No es imposible! Siempre gana alguien, ¡listo[9]!

—¡Por favor, chicos! ¿Veis a vuestro padre por ahí?

Paco camina por el pasillo detrás de ellos. Lleva una máscara tribal. Grita: «¡Aaaaaaaah!» Carmen, Marina y Lucas ven la máscara y gritan: «¡Aaaaaaaah!» Paco se quita la máscara y se ríe.

—Eres como un niño, Paco —dice Carmen—. Bueno, ya estamos todos. ¡Vámonos!

A las ocho de la tarde, después de viajar por todo el mundo, los Fernández vuelven a su casa.

8 *Tonto/a:* estúpido, lo contrario de inteligente.

9 *Listo/a:* inteligente, lo contrario de tonto.

2
UN VIAJE PARA DOS A LA HABANA

PRIMAVERA

En el mes de mayo, el buen tiempo llega a Madrid. Los días son más largos y en los jardines de la ciudad hay flores.

Marina, desde la ventana de su habitación, mira a la gente en la calle. Hoy es sábado y hace una tarde muy bonita. Ella no sale porque el martes tiene un examen de Historia. Se sienta y abre un libro. Ve un mapa del mundo: ahí está Cuba. En el mar Caribe. Oye la música de la salsa dentro de su cabeza. Se levanta de la silla y empieza a bailar.

Lucas llega a casa. En una mano lleva una bolsa de deporte, en la otra mano lleva una carta. Viene del parque del Retiro. Los sábados Lucas queda con sus amigos en el Retiro para correr. Lucas va hasta la habitación de Marina y abre la puerta. Marina baila con los ojos cerrados por toda la habitación. Lucas se ríe.

Marina oye a su hermano y abre los ojos: Lucas está delante de ella.

—¿Qué haces? ¿Estudias para un examen? —dice Lucas.

—¿Por qué no llamas a la puerta antes de entrar? —dice Marina, enfadada, y cierra la puerta.

—Tengo una carta para ti —dice Lucas detrás de la puerta.

Marina abre la puerta, pero Lucas no está. Sale de la habitación y camina detrás de él por el pasillo. Lucas va hasta la cocina, donde Paco hace la cena y Carmen pone la mesa.

—¡Mamá! ¡Papá! ¿Sabéis cómo estudia Marina? Con los ojos cerrados. ¡Y baila!

Lucas baila con los ojos cerrados y las manos arriba. En una mano tiene la carta. Paco y Carmen se ríen. Marina coge la carta de la mano de Lucas.

—¡Eres tonto! Y vosotros —dice a sus padres— ¿por qué os reís?

Suena el teléfono. Marina lo oye, pero vuelve a su habitación. Lucas responde.

—¡Marina! —grita Lucas.

Pero ella entra en su habitación y cierra la puerta. Se sienta delante de sus libros y del ordenador. A Marina no le gusta estudiar. Le gusta dibujar y también hacer teatro en el instituto. Su hermano Lucas estudia tercero de Biología en la Universidad Complutense y es muy buen alumno. Le gustan los libros, las bibliotecas, el deporte y… las chicas. Y a las chicas les gusta Lucas, porque es un chico muy guapo, alto, delgado, de ojos verdes y pelo liso y castaño. Es como su madre.

Marina se parece más a su padre. Es una chica atractiva con una sonrisa simpática y un pelo muy bonito: largo, rizado y castaño. Lee la carta: es de su escuela de salsa y tiene información de los cursos de verano. Lucas llama a la puerta.

—Marina, ¿abres, por favor?

Marina se levanta y abre la puerta un poco.

—Yo te quiero mucho —Lucas sonríe.

—¿Qué quieres? —pregunta Marina.

—Quiero irme de vacaciones contigo —contesta Lucas.

—¿Conmigo? ¿De vacaciones? ¿Por qué dices eso?

—¡Porque eres la ganadora del sorteo de Fitur! Y el viaje es para dos personas —dice Lucas.

Carmen y Paco entran alegres en la habitación.

—¡Hija! ¡Este verano te vas a La Habana!

—¡Me voy a La Habana! —dice Marina.

—¡Sí! ¡Os vais a La Habana! —dice Paco.

—¡Nos vamos a La Habana! —dice Lucas.

Marina mira a su hermano muy seria.

—¡No! No «nos» vamos a La Habana. «Me» voy a La Habana —dice Marina.

—Hija[10], tienes diecisiete años —dice Paco.

—Me voy con mamá o contigo. Pero con Lucas, ¡nunca!

Para la familia Fernández es difícil ir de vacaciones a un país como Cuba, porque el avión es caro y ellos son cuatro. Pero ahora tienen gratis dos billetes de avión. Y hotel con pensión completa[11] para dos personas durante nueve días. Lucas tiene un poco de dinero porque da clases de Matemáticas a chicos de instituto. Paco y Carmen también tienen dinero ahorrado para las vacaciones. Los Fernández piensan y hablan mucho. A las doce de la noche lo deciden: «¡Nos vamos los cuatro de vacaciones a La Habana!».

10 *Hijo/a:* expresión común que utilizan los padres con los hijos.

11 *Pensión completa:* con desayuno, comida y cena.

3
UN PASEO POR LA HABANA

VERANO

Los Fernández llegan al aeropuerto de La Habana después de un vuelo de más de nueve horas. Van al hotel y suben las maletas a la habitación. Se duchan, se visten con ropa cómoda, se ponen un sombrero y salen de paseo por La Habana.

—¿A dónde vamos? —Paco se pone las gafas para ver bien el mapa de la ciudad.

—La Habana Vieja[12] es el barrio turístico de la ciudad —Carmen lee en la guía.

—¿Sabéis que es Patrimonio de la Humanidad[13] desde 1982? —Lucas lee la guía con su madre. Está muy guapo[14] con unos pantalones blancos y una camisa verde, del color de sus ojos.

12 *La Habana Vieja:* la zona más antigua de La Habana.

13 *Patrimonio de la Humanidad:* título que da la UNESCO a lugares especiales del mundo.

14 *Estar guapo/a:* cuando alguien tiene buen aspecto por la ropa o el peinado que lleva.

—¿Por qué no cerráis la guía y caminamos un poco?

—¡Estoy de acuerdo, hija! —Carmen cierra la guía—. ¿Vamos, familia?

—¡Vamos! —dicen todos.

Y los Fernández pasean lentamente por La Habana Vieja. Se hacen fotos delante de los elegantes edificios coloniales, de las casas de colores, en las viejas farmacias. Entran en las librerías de segunda mano[15] y visitan museos. Caminan hasta la catedral y llegan a la plaza de Armas. Después de pasear durante tres horas, están cansados.

—¿Nos sentamos en un café y descansamos un poco? —pregunta Marina.

—Yo tengo hambre —dice Lucas—. Ahí venden bocadillos.

—¿Vamos a comer a un restaurante? —Paco mira su reloj—. Son las dos y media.

—En el hotel tenemos pensión completa para dos personas —dice Carmen.

—Yo estoy muy cansada. ¿Volvemos al hotel tú y yo y comemos allí, mamá? —pregunta Marina.

—Vale, nosotras nos vamos al hotel —dice Carmen.

—Está bien —dice Paco—. Lucas y yo comemos en un restaurante y nos vemos luego.

—Muy bien, nos vemos por la tarde. ¿Dónde quedamos? —dice Carmen.

Marina pregunta a una joven mulata[16] que camina con un niño pequeño de la mano:

[15] *De segunda mano:* algo que no es nuevo, que está usado.

[16] *Mulato/a:* persona con piel morena descendiente de blancos y negros.

—Buenos días. Por favor, la gente de La Habana, ¿dónde va por la tarde a pasear?

—Vamos al Malecón[17], mi amor[18]. Vamos allí para ver el atardecer en el mar.

—Muchas gracias, señora. ¿Quedamos después en el Malecón? —pregunta Marina a su familia.

Todos miran a Marina y sonríen: es una buena viajera.

—Tenéis una hija muy inteligente —Lucas sonríe.

—Carmen, ¿nos das la guía para ver restaurantes? —pide Paco.

Pero Lucas pregunta a un cubano que camina con un gran puro[19] en la boca:

—Por favor, ¿conoce usted un restaurante bueno, bonito y barato por aquí?

—Sí. Conozco uno —sonríe el cubano—. Está allá, ¿vienen ustedes conmigo?

Marina y Lucas se miran y sonríen.

—Aprendo rápido, ¿verdad? —dice Lucas—. ¡Hasta luego, chicas!

Carmen y Marina vuelven al hotel, mientras Paco y Lucas se van con el cubano, que fuma un gran puro, por las calles de La Habana Vieja.

---

17 *Malecón:* paseo en la costa de La Habana donde muchos habaneros pasean y pasan su tiempo libre.

18 *Mi amor:* expresión típica cubana.

19 *Puro:* cigarro grande hecho con hojas de tabaco. Los puros cubanos son famosos por su calidad.

10

Clases de salsa

Profesores cubanos y música en vivo

De lunes a viernes a las 18.00

¡Los esperamos!

Marina y Carmen salen del comedor y leen el papel en la puerta.

—¡Mamá! ¡En el hotel hay clases de salsa con profesores cubanos!

—Este hotel está muy bien. Las habitaciones son cómodas y agradables, hacen excursiones, hay clases de salsa y, además, la comida está muy buena.

—¡Qué bueno está el arroz congrí[20]! —Marina recuerda la comida en el comedor del hotel.

—¡Y la guayaba! ¡Y el mango! —a Carmen le gustan mucho las frutas tropicales.

[20] *Arroz congrí:* plato típico cubano con arroz y frijoles rojos.

Entran en el ascensor. En el último momento, un chico corre y entra con ellas. Es un chico guapo, moreno, delgado pero fuerte, con ojos azules y una bonita sonrisa.

—Hola —el chico sonríe a Marina y a Carmen—. Yo voy al primero, ¿y ustedes?

—Hola, nosotras vamos... ¿al tercero o al cuarto, Marina? —Carmen no recuerda el piso.

Marina no dice nada, mira al chico con los ojos muy abiertos. Es muy guapo. Los chicos como él están en las revistas, en las películas, en la tele, pero no en un ascensor.

—Adiós, buenas tardes —el chico sale del ascensor en el primer piso.

—Adiós —dice Carmen. El ascensor sube—. Marina, hija, ¿eres tonta? ¿Por qué no dices nada?

En el cuarto piso salen del ascensor y caminan por el pasillo hacia sus habitaciones.

—¿De dónde es? ¿Venezolano? ¿Argentino? —Marina piensa en el chico y sonríe.

—O mexicano o colombiano, quién sabe —dice Carmen.

—Y está de vacaciones en este hotel —Marina sonríe—. Como yo...

—Ay, ay, ay —dice Carmen—. Mi hija se enamora[21] del primer chico guapo que ve.

—Del primer chico guapo que veo no: ¡del chico más guapo del mundo!

En la habitación, Carmen y Marina se lavan los dientes, duermen una pequeña siesta para descansar y se visten para salir. Paco y Lucas esperan en el Malecón.

21 *Enamorarse:* sentir amor por alguien.

En la recepción, Marina pregunta:

—Por favor, para ir a clases de salsa, ¿qué tengo que hacer?

—Escriba su nombre aquí. Número de habitación, cuántos días quiere ir…

—¡Todos los días! De lunes a viernes —dice Marina—. ¿Es posible?

—¡Sí! Para las clientas simpáticas como usted, es posible, sí —el recepcionista sonríe.

Marina escribe su nombre y apellidos, el número de habitación, y pone una cruz en el lunes, el martes, el miércoles, el jueves y el viernes. El recepcionista dice:

—Hoy es lunes y empieza un curso nuevo. Las clases son en la primera planta, en el salón de fiestas. A las seis. Son dos horas de clase: de seis a ocho.

—No, hoy no voy porque…

Pero, en ese momento, el recepcionista saluda al chico guapo, que camina hacia la salida.

—¡Jorge! ¡Hoy empieza el curso de salsa! —dice el recepcionista.

—Sí, sí. Vuelvo a las seis. Gracias —dice el chico.

Marina está nerviosa y las palabras no salen de su boca. Al final, pregunta:

—¿Él también viene a las clases de salsa?

—Sí. Y también de lunes a viernes, como usted —el recepcionista se ríe.

Marina camina hacia el vestíbulo[22] del hotel, donde su madre espera, sentada en un sillón.

—Mamá, yo no voy al Malecón.

22 *Vestíbulo:* sala a la entrada de un hotel.

CLASES DE SALSA

—¿Estás muy cansada?

—No. Pero, la clase de salsa es a las seis.

—Hija, es nuestro primer día en La Habana. Y tu padre y tu hermano nos esperan.

—Pero… ¡El chico guapo también va a clase! ¡Se llama Jorge!

—¿Y qué les digo a tu padre y a tu hermano? —Carmen se ríe—. «¿Marina no viene porque tiene un compañero en la clase de salsa muy guapo que se llama Jorge?».

—¡No! Mamá, por favor. Les dices que estoy muy cansada.

—¡Ay, ay, ay, estos jóvenes! —Carmen se va.

Marina sube a la habitación. Durante dos horas, se pone ropa y se la quita. No sabe qué ropa llevar. Quiere estar guapa para la clase de salsa. No, en realidad quiere estar guapa para Jorge.

5
EL PROFESOR DE SALSA

Marina entra en el gran salón de fiestas en el primer piso. En Madrid, todo el mundo dice que Marina baila muy bien. Pero ¡esto es La Habana! Piensa en Jorge, el chico del ascensor.

Los alumnos llegan a clase con ropa cómoda y zapatillas deportivas. Marina lleva un vestido rojo y unos zapatos de fiesta de su madre. «¿Subo rápido a la habitación, me quito el vestido y los zapatos y me pongo un pantalón cómodo, una camiseta y las zapatillas deportivas? No. No tengo tiempo», piensa. Los otros alumnos son mayores. Tienen treinta, cuarenta y hasta sesenta años.

—Estás muy guapa —dice una señora mayor, con el pelo blanco.

—Y es joven, no como nosotros —dice su marido con una sonrisa.

Marina mira la puerta: Jorge no viene. Está muy nerviosa. Un chico de unos dieciocho años entra. Es muy moreno, bajo, con la nariz grande y los ojos pequeños. «Ahí está el profesor», piensa, «No es guapo pero tiene una cara simpática». Marina le dice:

—Hola, yo soy Marina. Y sé bailar un poco…

—Hola. Mi nombre es Juan y no sé bailar. ¿Eres española? Yo soy mexicano.

—¿No eres el profesor? —dice Marina.

La puerta se abre y entra Jorge, el chico del ascensor. Mira a todos con una gran sonrisa.

—Buenas tardes, ¡bienvenidos a La Habana! ¡Bienvenidos a la capital de la salsa! —dice.

—Él es el profesor —dice Juan divertido—. Y esta es mi primera clase de salsa.

Para muchos alumnos es su primera clase. Jorge es simpático y buen profesor. Les dice:

—Vamos a bailar en parejas. Marina y Juan: ustedes van juntos. María, usted con su marido.

—Pero ¡siempre bailo con mi marido! —dice la señora—. ¿No puedo bailar con otro hombre?

Y todos se ríen. Jorge pone música y baila un poco.

—Ahora, ustedes. ¡Vamos! Un, dos; un, dos.

Los alumnos empiezan a bailar como él. Jorge camina entre los alumnos y les enseña:

—No… No. Un, dos, un, dos, un, dos, ¡muy bien! ¡Ahora, sí!

A Juan le gusta Marina, pero ella está incómoda, porque a Marina no le gusta Juan: le gusta Jorge. Pero el joven profesor baila con todas las mujeres menos con ella.

—Muy bien, Marina, muy bien —dice.

Pero no baila con ella. Mira a Juan y a Marina y les dice sonriendo:

—Yo veo que ustedes dos están muy bien juntos.

Marina quiere decir: «¡No! ¡No estamos juntos! No me gusta Juan. ¡Me gustas tú!». Pero no dice nada.

—¡Marina, tú eres una profesional! —dice Jorge.

Y Marina sonríe contenta. Baila con todo su cuerpo. Escucha la música y baila para él. Una hora y media después, Marina, un poco tímida, le pregunta a Jorge:

—¿Por qué no bailas conmigo?

—¿Ves a todas estas señoras? Ellas no saben bailar, pero tú sí. Tú bailas muy bien.

Jorge le sonríe con su bonita boca y sus dientes blancos. Pero ella no sonríe: está triste.

A las ocho menos cuarto, Marina le dice a su compañero:

—Juan, lo siento, pero me voy. Estoy muy cansada.

—Es normal, es tu primer día en La Habana. Gracias por bailar conmigo —dice el chico.

Marina camina hacia la puerta de salida, y Jorge va detrás de ella.

—¿A dónde tú[23] vas, Marina? —dice el profesor.

—Lo siento, estoy muy cansada. Hoy es mi primer día en La Habana.

—No, tú no te vas, mi amor. La clase termina a las ocho. Y, ahora, tú bailas con tu profesor.

Jorge coge las manos de Marina, camina con ella hasta el centro del salón y empieza a bailar con ella. «¡Dios mío!», piensa Marina, «Es el momento más excitante de mi vida». Bailan con elegancia y sensualidad. Y Jorge la mira a los ojos.

[23] *Tú:* en Cuba el orden en las preguntas puede ser sujeto-verbo (¿A dónde tú vas?), cuando normalmente el orden es verbo-sujeto (¿A dónde vas (tú)?).

Para Marina, las horas, los minutos y los segundos no significan nada. El tiempo no existe. Pero…

—¡Las ocho! ¡Ahora, sí! Ahora te puedes ir —dice Jorge.

Y el guapo profesor de salsa dice a todos los alumnos: «¡Hasta mañana!».

Los alumnos hablan alegres y salen del salón. Marina sale la última, camina despacio, sonríe mientras piensa en el momento del baile. En ella y Jorge. Es como vivir una película.

—¡Hasta mañana, Marina! —dice Juan, en el pasillo.

Pero Marina no oye al chico. No lo mira. No ve nada. Camina despacio hacia el ascensor. Juan la mira y se va muy triste por las escaleras a su habitación.

6
LOS GÓMEZ

A las ocho de la mañana, los Fernández desayunan en el comedor del hotel. Toman café con leche, una tostada de pan cubano con mantequilla y mermelada de mango y zumos tropicales.

—¿A qué hora sale el autobús? —pregunta Lucas.

—A las ocho y media —contesta Carmen.

—¿A dónde vamos? —pregunta Marina.

—A Cienfuegos[24] —Paco lee la guía—. Aquí dice que es la ciudad más bonita de Cuba.

—¿A cuántos kilómetros está? —pregunta Marina.

—A doscientos cincuenta y cuatro —Paco mira la guía—. Son unas tres horas de ida y otras tres de vuelta.

—¡Seis horas de viaje! —Marina está nerviosa.

—¡Y qué! —dice Lucas—. ¿Eres tú la conductora?

—¡A las seis de la tarde tengo clase de salsa!

24 *Cienfuegos:* ciudad conocida como la Perla del Sur, es la segunda ciudad más importante de Cuba.

—Hoy no —sonríe su padre—. Hoy no vas a clase.

El autobús de Cienfuegos está en el aparcamiento del hotel. Los Fernández esperan para subir porque hay cola[25].

—Paco, ¡ahí delante están los Gómez! ¡Los españoles del Malecón! —dice Carmen, contenta.

—¿Quiénes? —pregunta Marina.

—Son unos españoles muy agradables: Ramón y Pilar. Y tienen una hija de tu edad.

Los Fernández suben al autobús y saludan a los Gómez.

—¡Buenos días! ¿Qué tal estáis? Esta es nuestra hija: Marina.

—¡Hola, Marina! —Pilar y Ramón la saludan—. Paula también tiene diecisiete años, como tú.

Paula es una chica bajita, delgada, de ojos oscuros y pelo liso y rubio. Marina y Paula se saludan y se sientan juntas en el autobús, detrás de sus padres. Paula está contenta: ahora tiene una amiga en La Habana.

—¿Vamos mañana por la tarde al Malecón a pasear? —le pregunta Paula.

—No puedo, lo siento —contesta Marina—. Tengo clase de salsa a las seis.

Paula sonríe un poco triste.

—¿Por qué no vienes mañana conmigo? —dice Marina—. ¡Es muy divertido!

—No sé bailar salsa.

—Las clases son para eso: para aprender —Marina sonríe.

—Es que no sé bailar nada.

—Juan es mi pareja de baile y tampoco sabe.

[25] *Cola:* cuando hay mucha gente que espera para entrar en algún lugar.

—¡Está bien! Mañana voy contigo —dice Paula contenta.

Marina piensa: «Si Paula viene a clase y baila con Juan, ¡yo puedo bailar con Jorge!».

En Cienfuegos, los viajeros pasean por el centro y visitan sus monumentos. Lucas camina con dos chicas colombianas muy simpáticas que se sientan a su lado en el autobús: Liliana y Sandra. Tienen veinticinco años y es su primer viaje al extranjero.

—¿Conocéis bien La Habana? —pregunta Lucas.

—Conocemos bien La Habana de día —responde Liliana—. Pero no conocemos La Habana de noche.

—Queremos ir a ver un espectáculo o a un concierto, a cenar, a bailar —dice Sandra—. Pero, en nuestro país, las chicas no salen solas por la noche. Y no tenemos amigos aquí.

—¡Yo soy vuestro amigo! —se ríe Lucas.

—¿Quieres salir con nosotras? —preguntan las chicas.

—Sí, claro —responde Lucas contento.

Marina y Paula caminan juntas todo el tiempo, hablan y se ríen. Por la noche, vuelven de la excursión. Las dos familias cenan en una mesa grande. Los padres y las hijas hablan de la bonita excursión a Cienfuegos y miran las fotos.

Lucas cena en otra mesa con sus dos amigas colombianas.

A las doce de la noche, Marina y Paula se van a dormir. En el ascensor, Marina piensa: «¿Se lo digo o no se lo digo?». Salen del ascensor y Paula dice:

—Buenas noches, Marina —y camina hacia su habitación.

—¡Paula!

—¿Qué?

—¡Estoy enamorada del profesor de salsa!

Y las dos amigas se miran y se ríen.

7 LA ALUMNA NUEVA

Paula y Marina entran en la clase de salsa. Juan ve a Marina y sonríe contento.

—Hola, Marina. ¿Qué tal ayer en Cienfuegos?

—Muy bien. Juan, te presento a mi amiga Paula. También es española. Y tampoco sabe bailar.

—Hola, Paula —el chico sonríe simpático—. Bienvenida al mundo de la salsa.

—Gracias, Juan. Como yo no sé bailar y tú tampoco... ¿quieres ser mi pareja de baile?

Juan no contesta. Piensa: «Lo siento, pero no. No quiero ser tu pareja porque me gusta mucho Marina y prefiero bailar con ella». Pero, al final, Juan sonríe y dice:

—Si Marina quiere...

—¡Sí! —dice Marina—. Por mí, no hay problema. Podéis bailar los dos juntos. Yo... bailo sola.

Juan sabe que Marina no quiere bailar con él. Porque el chico ve a Marina decir «gracias» a Paula. No lo oye, pero lee «gracias» en su boca.

Los alumnos dan la bienvenida a Paula y hablan con las dos amigas españolas. Les preguntan por sus familias, por España y por su edad. Son muy simpáticos y se ríen todo el tiempo. Hay mexicanos, argentinos, brasileños, canadienses, alemanes y de otros países.

Jorge entra a las seis en punto con mucha energía.

—Buenas tardes. ¿Quién es la alumna nueva? —pregunta.

Paula ve al guapo cubano de los ojos azules y sonríe tímida. Levanta la mano.

—¿Tú eres Paula? ¡Bienvenida a mi clase! —Jorge mira a Paula y sonríe—. ¿Sabes bailar un poco? ¿Mucho? ¿Nada?

—Nada —contesta Paula muy tímida, mirando hacia abajo.

—Yo te enseño todo, mi amor —dice el joven profesor—. ¡Vamos allá!

Jorge pone música, coge la mano de Paula y la lleva hasta el centro del salón. El joven profesor empieza a bailar y Paula hace lo mismo que él.

Todos los alumnos empiezan a bailar en parejas, pero Marina y Juan no bailan.

—Y ustedes, ¿por qué no bailan? —pregunta Jorge.

—Porque Paula es la pareja de baile de Juan —contesta Marina.

—¿Quién dice eso? —pregunta el profesor.

Nadie contesta. Marina piensa: «Soy tonta. Y ahora todos saben que soy tonta».

—Juan, por favor, ¿quieres bailar con Marina? —le pregunta Jorge a Juan.

—Sí. Pero no sé si ella quiere bailar conmigo —dice el mexicano muy serio.

—Pero ¡ustedes dos son como una pareja de enamorados! —dice Jorge con una sonrisa.

Los alumnos mayores miran a Marina y a Juan y se ríen.

—¿Por qué dices eso? —le pregunta Marina a Juan, y piensa: «Juan lo sabe todo».

Juan no contesta. Coge a Marina de la mano y baila con ella. Marina piensa: «Jorge no puede bailar durante toda la clase con Paula». Pero Jorge baila con Paula durante toda la clase.

A las ocho y cuarto, María, la señora del pelo blanco, dice con una gran sonrisa:

—Profesor, ¿a qué hora termina la clase?

—A las ocho, María, ¿por qué? —contesta Jorge.

—Porque son las ocho y cuarto —sonríe María.

—¿Ya son las ocho y cuarto? —dice Jorge—. ¡Hasta mañana!

Los alumnos salen de clase. Juan sale el primero. Se va sin decir adiós. Marina sale también, muy seria. Paula corre detrás de ella por el pasillo.

—¡Marina! Lo siento —dice Paula.

—¿Te gusta Jorge? —pregunta Marina.

—Es simpático —contesta Paula.

—¿Pero te gusta? —pregunta Marina un poco triste.

—No —dice Paula muy tímida.

8
UN PASEO POR EL MALECÓN

Son las dos de la tarde. Marina y sus padres entran a comer en el comedor del hotel.

—¿Dónde está Lucas? —pregunta Marina.

—En Santiago de Cuba[26], con sus amigas colombianas —responde Carmen—. Vuelven esta tarde.

—Tu hermano siempre está con chicas —dice Paco—. En España, en Cuba…

—Y vosotros, ¿qué hacéis esta tarde? —pregunta Marina.

—Vamos a pasear al Malecón. Es un sitio muy interesante —dice Carmen.

—Hay cantantes, poetas, filósofos, pescadores, enamorados, niños —dice Paco.

—Voy con vosotros —dice Marina.

—¿Y tu clase de salsa? —pregunta Carmen.

[26] *Santiago de Cuba:* ciudad situada a 897 kilómetros de La Habana, conocida por su famoso Carnaval.

—Hoy no tenemos clase porque hay una boda[27] en el salón de fiestas.

—¿Y Paula? ¿No vais a la playa? —pregunta Paco.

—No sé, no está en su habitación. Y no la veo aquí.

—Bueno, ¡vamos los tres al Malecón! —dice Paco contento.

El Malecón es una avenida de ocho kilómetros al lado del mar. Hay bicicletas, taxis, caballos y coches grandes y viejos. Marina mira todo con los ojos muy abiertos. Hay cantantes con sus guitarras, jóvenes que se bañan, turistas que hacen fotos, parejas que bailan. La luz del sol al atardecer es de color naranja en el Malecón. El sol está ahora muy cerca del mar.

—Esto es un espectáculo[28] —Marina mira a la gente.

—Ahí viene mi cantante —dice Carmen—. Al atardecer siempre está aquí con su guitarra.

—Y tu madre canta un poco con él —sonríe Paco—. Canciones de nuestra juventud.

—Canciones de amor —Carmen sonríe—. Y tu padre dibuja.

—Dibujo a tu madre en el Malecón —Paco sonríe.

Paco empieza a dibujar en un cuaderno con lápices de colores. Carmen saluda al cantante y canta con él «Yolanda», del cantante cubano Pablo Milanés. El hombre tiene una voz muy bonita. Marina escucha contenta. Su madre canta muy bien. En ese momento, Marina ve a Paula y Jorge que pasean alegres. Paula ve a Marina y camina rápido sin mirar.

—¿Aquella chica no es Paula? —dice Carmen—. La chica que va con... ¡Son Jorge y Paula!

---

[27] *Boda:* cuando dos personas se casan, celebran una boda.

[28] *Espectáculo:* El teatro, el *ballet*, la ópera o el circo son espectáculos.

9

LA NOVIA DE JORGE

Es de noche en el Malecón y los Fernández vuelven al hotel. Carmen sabe que su hija está muy triste.

—Marina, ¿por qué no hablas con Paula? —dice Carmen—. Sois amigas.

—Paula no es mi amiga.

—¿Por qué? ¿Porque a ella también le gusta Jorge? —pregunta Carmen.

—Paula sabe que estoy enamorada de Jorge —dice Marina.

—Y ahora tú sabes que ella también —contesta su madre.

Marina llama a la puerta de la habitación de Paula. La puerta se abre: Paula la mira nerviosa.

—¿Puedo entrar? Quiero hablar contigo —dice Marina, que entra en la habitación y se sienta.

—Marina, lo siento —dice Paula nerviosa—. Pero Jorge me gusta mucho.

—Te entiendo porque a mí también me gusta —dice Marina—. Pero no estoy enfadada[29].

—Él dice que está enamorado de mí. Desde el primer momento —dice Paula.

—Me alegro por ti —Marina sonríe.

—Marina, eres una buena amiga —dice Paula alegre.

Las dos amigas se abrazan[30] y sonríen contentas.

Carmen habla con su hijo y esa noche Marina sale con su hermano y sus dos amigas colombianas, Liliana y Sandra. Van a una discoteca.

—Aquí, todas las noches hay espectáculo de salsa —le dice Lucas.

—Los bailarines son profesionales —dice Sandra.

—Y los músicos son muy buenos —Liliana sonríe.

—¿Venís aquí mucho? —pregunta Marina.

—Esta es la tercera vez, nos gusta venir porque son muy simpáticos. Conocemos a los camareros, a los músicos, ¡a todo el mundo! —dice Liliana—. Los cubanos nos hablan de su vida y de su país.

—Yo les hablo de España y ellas, de Colombia —dice Lucas.

—¡Qué interesante! —Marina quiere conocer a jóvenes cubanos y hablar con ellos.

El espectáculo empieza: los bailarines bailan salsa en parejas. Llevan trajes de fiesta[31]. Los músicos llevan trajes elegantes de color blanco. Marina mira a un bailarín... ¡Es Jorge!

29 *Enfadado/a:* te sientes así cuando algo te molesta mucho o no te gusta.

30 *Abrazar:* rodear con los brazos a alguien.

31 *Traje de fiesta:* ropa que se usa para una ocasión especial: una boda, un espectáculo...

—Ese bailarín, el guapo de ojos azules, es mi profesor de salsa en el hotel —dice Marina.

—¿Jorge? —pregunta Liliana.

—¡Sí! —dice Marina—. ¿Lo conocéis?

—Sí. Todas las noches baila aquí, en el espectáculo, con su novia —contesta Liliana.

—¿Con su novia? ¿Tiene novia? —pregunta Marina.

—¡Los chicos guapos siempre tienen novia! —dice Sandra.

—Lucas es muy guapo y no tiene novia —Liliana se ríe y mira a Lucas, que sonríe tímido.

—Pero ¿quién es su novia? —pregunta Marina.

—La chica mulata que baila con él —dice Lucas.

Vuelven al hotel bastante tarde. En el vestíbulo, Marina ve a Paula. Su amiga entra en el ascensor con sus padres. «¿Le digo a Paula que Jorge tiene novia o no?». Marina no sabe qué hacer. Paula es su amiga.

Marina sube a la tercera planta y llama a la puerta de Paula. Su amiga abre:

—Paula, Jorge tiene novia —dice Marina.

—¿Qué?

—Es una chica mulata.

—¡Dices eso porque tienes celos[32]!

—Paula, lo siento mucho, pero te lo digo porque soy una buena amiga.

—¡No eres una buena amiga! Y no quiero hablar contigo nunca más —Paula cierra la puerta enfadada.

Esa noche, Marina no duerme. La amistad y el amor son difíciles.

32 *Tener celos:* cuando alguien quiere tener lo que otra persona tiene.

10

VARADERO

Los Fernández desayunan en el comedor.

—Las amigas de Lucas son muy simpáticas —dice Marina.

—¿Quién te gusta más, Lucas? ¿Liliana o Sandra? —Paco sonríe divertido.

—Me gustan las dos. Pero solo somos amigos —se ríe Lucas.

—Está claro que ellas prefieren la amistad y no el amor —dice Marina.

Paco y Carmen miran a Marina preocupados[33]. Saben que Paula está enfadada con Marina. Y saben por qué. Marina siempre habla de sus problemas con sus padres.

—Marina, ¿vienes conmigo y con mis amigas a la playa? —pregunta Lucas, que también está preocupado por ella.

—No, gracias. Estoy bien —Marina sonríe.

Lucas termina su desayuno y se va a su habitación a ducharse. A las diez sale de excursión con sus amigas colombianas a Varadero[34]. Van a la playa a bañarse.

33 *Preocupado/a:* cuando alguien no está tranquilo por algún motivo.

34 *Varadero:* donde están las playas más conocidas de Cuba.

Los Gómez entran en el comedor. Las dos familias, los Fernández y los Gómez, se saludan con una sonrisa y se dicen «buenos días», pero Paula no mira a Marina. Está muy seria.

—¿Veis? —dice Marina—. No me mira. Y no me habla.

—Ay, ay, ay, la amistad y el amor —dice Paco.

—Esta tarde no voy a clase de salsa. Ni mañana. Ni nunca.

—Marina, ahí está Juan con sus padres —dice Carmen—. ¿No es tu pareja de baile?

—Sí. Pero él también está enfadado conmigo.

—Hija mía, ¿qué haces? Todo el mundo está enfadado contigo —dice Paco.

Marina se levanta de su silla, va hasta la mesa de la familia de Juan y saluda:

—Buenos días, Juan, hoy no voy a clase de salsa. Bueno, no voy nunca más.

—Yo tampoco —dice Juan—. Prefiero ir a bucear[35].

—¿Ah, sí? A mí también me gusta mucho bucear.

—A las diez sale un autobús del hotel a Varadero —dice Juan—. El hijo de un pescador me espera allí para ir a bucear. Vamos en su bote de pesca[36]. ¿Quieres venir?

—¡Sí! —dice Marina—. ¡Sí quiero!

Varadero está a ciento treinta kilómetros de La Habana. Es el lugar más turístico de Cuba, porque tiene veintidós kilómetros de playa, hoteles, restaurantes, discotecas y bares. Sus playas son de arena blanca, y el mar es de color azul y verde. Los turistas van a Varadero para estar en la playa y practicar deportes como el buceo, la pesca o el golf.

35 *Bucear:* nadar bajo el agua.

36 *Bote de pesca:* barco pequeño para ir a pescar.

El autobús llega a Varadero y los viajeros bajan. Marina y Juan caminan con Lucas y sus amigas colombianas. Todos quieren bucear para ver peces tropicales y corales[37].

El hijo del pescador se llama Rubén, es un chico mulato de dieciocho años y espera a Juan en un bote de pesca. Juan lo saluda y le presenta a sus compañeros de viaje.

—¿Pueden venir con nosotros a bucear? —pregunta Juan.

—El bote es pequeño, pero podemos ir los seis —dice Rubén.

Los cinco amigos suben en el bote. En las mochilas[38] llevan gafas y tubos para bucear. Rubén es un chico muy tranquilo y alegre. Canta una canción cubana mientras lleva el bote.

—¿Qué cantas? —pregunta Marina.

—«Chan chan», un son cubano: una canción tradicional.

Rubén les enseña la canción y todos la cantan: «De Alto Cedro voy para Marcané / Llego a Cueto voy para Mayarí...».

Media hora después, Lucas, Liliana, Sandra, Juan y Marina se preparan para bucear.

—¿Tú no buceas? —pregunta Lucas.

—Yo prefiero pescar —Rubén coge su caña[39] y sonríe.

—¡Buena suerte, Rubén! ¡Hasta luego!

Y los cinco buceadores se tiran al agua. Miles de peces de todos los colores nadan tranquilamente delante de sus ojos. Están en una ciudad submarina de jardines y bosques de corales. Son blancos, verdes, azules, rojos, amarillos, rosas...

Marina está contenta y piensa: «¡Esto también es un espectáculo!».

[37] *Coral:* animal que vive en el fondo del mar con forma de planta.

[38] *Mochila:* bolsa que se pone a la espalda para llevar cosas.

[39] *Caña:* objeto que sirve para pescar.

11
NOCHE DE SALSA

Carmen tiene un plan, pero Marina no sabe cuál es. Su madre le dice:

—Esta noche cenamos en un restaurante con los Gómez.

—No es una idea muy divertida, mamá —dice Marina—. Paula no me habla.

—Tú te sientas a mi lado. Con tu padre y conmigo. Y Lucas y sus amigas, al lado de Paula.

—Una cena con los Gómez no es un buen plan, mamá.

—Tranquila —dice su madre—. La noche es larga. Y el plan es bueno.

Por la noche, los Fernández cenan en un restaurante de comida tradicional cubana con los Gómez. Pilar y Ramón no saben que su hija está enfadada con Marina. Y Paula habla todo el tiempo con Liliana y Sandra, las colombianas.

—¡Qué buena está la comida! —dice Pilar—. El arroz congrí me gusta mucho.

—A mí también —Marina sonríe amable—. ¿Y a ti, Paula?

Paula no la mira. No contesta. Escucha a Lucas, que habla sobre la educación en Cuba.

—No te oye —dice Pilar—. Este restaurante es bueno, pero muy ruidoso.

—Sí, es muy ruidoso —dice Paco—, porque los españoles hablamos mucho y muy alto.

—Los cubanos también —Ramón sonríe.

El grupo de españoles pide el postre y los cafés.

—Carmen dice que ahora nos vamos a bailar —dice Ramón contento.

—Mi hijo y sus amigas conocen una discoteca muy buena —dice Carmen.

—Todas las noches hay un espectáculo de salsa con bailarines profesionales —dice Lucas.

—Y los músicos tocan en directo —Liliana sonríe a Paula—. ¿Quieres ir?

—¡Sí! —dice Paula, contenta—. Mamá, papá, ¡vamos!

Los Fernández y los Gómez salen del restaurante con las chicas colombianas. Cogen tres taxis para ir a la discoteca.

—¡Nos vemos dentro de la discoteca! —dice Lucas.

Marina y sus padres entran los últimos en la discoteca. En ese momento, el espectáculo empieza. Los Gómez ya están sentados en una mesa larga con Lucas y las chicas.

—¡Carmen! ¡Paco! ¡Estamos aquí! —Pilar y Ramón los llaman—. Tenemos sitio para vosotros.

Los Fernández caminan hacia la mesa de los españoles y se sientan. Marina mira a Paula: está blanca[40]. Jorge baila con la chica mulata. Paula los mira todo el tiempo, pero no dice nada.

40 *Estar blanco/a:* sin color en la cara, con expresión de sorpresa.

El espectáculo termina y los bailarines se van.

—¡Qué buenos son los bailarines! —dice Pilar.

—Ahora, bailamos nosotros, ¿no? —dice Ramón.

—Uno de los bailarines es nuestro profesor de salsa —dice Paula—. Voy a decirle hola.

—¿Y tú no vas, Marina? —pregunta Pilar.

—No, estoy cansada —contesta Marina.

Paula camina hacia la barra del bar, donde están Jorge y los otros bailarines. Pero, antes de llegar, la chica mulata abraza a Jorge y él la besa. Paula vuelve a la mesa con sus padres.

—Mamá, me voy al hotel.

—¿Te encuentras mal? —pregunta Pilar—. Estás blanca.

—¡La cena! —dice Ramón—. No es bueno comer mucho por la noche.

—Nosotros también volvemos al hotel —dice Paco—. Estamos todos cansados.

Los Fernández vuelven al hotel en taxi. Paco se sienta delante, al lado del taxista. Carmen y Marina se sientan detrás y se miran serias. Piensan en Paula.

Marina se lava los dientes en el baño. Está triste. Oye la voz de Paula, que llama a la puerta:

—¡Marina! ¡Soy Paula!

Marina sale del cuarto de baño y abre la puerta de su habitación: Paula tiene los ojos rojos y no puede hablar. Marina la abraza y Paula empieza a llorar.

12

UN DÍA DE PESCA

Paula duerme en la habitación de Marina con ella. Por la mañana se despierta y vuelve a su habitación. Las dos amigas quedan para ir a la playa.

Juan, Marina y Paula cogen el autobús del hotel a Varadero a las diez. Llevan bañadores, toallas, cremas para el sol y las gafas y tubos para bucear.

—Rubén conoce muy bien el mar —le dice Juan a Paula—. Su padre es pescador.

—Él también pesca —dice Marina—. Es muy simpático.

—¡No tenemos comida! —dice Paula—. Y tampoco tenemos agua, ni fruta.

—Rubén lleva comida y bebida —dice Juan.

—¿Cuántos años tiene? ¿Es muy mayor? —pregunta Paula.

—¡No! Tiene dieciocho años —contesta Marina.

El autobús llega a Varadero y los amigos bajan. Caminan hacia la playa y ven a Rubén, que los espera en el bote de pesca. El chico cubano los saluda con la mano desde el bote.

—¡Hola, Rubén! —dice Juan—. Hoy venimos con otra chava[41] española. Ella es Paula.

En el bote, Juan y Marina cantan «Chan chan» con Rubén. Paula mira el mar con ojos tristes. Pero no quiere pensar en Jorge. Y aprende la canción. Media hora después, los cuatro cantan: «De Alto Cedro voy para Marcané / Llego a Cueto voy para Mayarí». Rubén dice:

—Hoy ustedes bucean aquí. Hay peces y corales diferentes.

—¡Eso es imposible! —Marina está muy contenta.

Juan y Marina se ponen las gafas y el tubo.

—¿Tú no buceas? —pregunta Rubén.

—Prefiero pescar contigo. ¿Puedo? —pregunta Paula.

—¡Sí! ¿Sabes tú pescar? —Rubén sonríe contento.

—No, no sé. Tú pescas y yo miro el mar —Paula está triste pero sonríe.

—No —dice Rubén—.Tú, hoy, aprendes a pescar. Yo te enseño.

A las tres de la tarde, los cuatro jóvenes vuelven a la playa, con dos peces grandes, y van a casa de Rubén. Su padre los cocina y ellos se los comen con las manos.

—El pescado está más bueno si lo pescas tú —Paula sonríe contenta.

41 *Chava: chica* en México.

13

FIESTA DE DESPEDIDA

Por la noche, Marina y Paula llegan al hotel. Las dos están contentas. Juan y Rubén son dos buenos amigos. Son simpáticos, divertidos y muy amables.

El recepcionista saluda a las dos chicas y le dice a Paula:

—Tiene usted un mensaje del profesor de salsa.

—Gracias —dice Paula, con la cara muy roja.

El recepcionista le da una carta. El mensaje está en bolígrafo rojo: «Paula, mi amor, ¿dónde estás hoy? La clase de salsa sin ti es muy aburrida. Mañana es la fiesta de despedida. Tú eres mi pareja de baile. Te espero». Paula lee el mensaje.

—Mañana sábado es la fiesta de despedida en el hotel —dice Marina.

—Sí. Mis padres y yo volvemos a España el domingo —dice Paula muy triste.

—Nosotros también —dice Marina—. ¡Viajamos todos juntos a Madrid!

—Marina, sé que Jorge tiene novia. Pero, estoy enamorada de él.

—Jorge juega con las chicas. No dice que tiene novia. Eso es engañar.[42]

El sábado por la noche, los Fernández y los Gómez cenan en el comedor del hotel con las chicas colombianas. Los hombres llevan trajes elegantes y las mujeres llevan zapatos de tacón[43] y vestidos largos. Todos hablan de su viaje, de las excursiones, las playas, los barrios de La Habana, del Malecón y de la música.

El jefe de los camareros camina hasta el centro del comedor y dice:

—Señoras, señores, esta noche tenemos una gran fiesta de despedida para todos ustedes. Música, baile y mojitos[44] cubanos. Los esperamos en el gran salón a las once. Buenas noches.

A las once de la noche, los clientes del hotel, vestidos con elegancia, van al gran salón. En la puerta, Jorge pide las invitaciones. Lucas entra con Liliana y Sandra; Carmen y Paco entran con Pilar y Ramón; Marina entra con Juan.

—¿Dónde está tu amiga Paula? —pregunta Jorge nervioso.

—Ahora viene —dice Marina con una sonrisa.

Paula entra en el gran salón con unos zapatos de tacón de su madre y un vestido de fiesta corto. Está muy guapa. Jorge sonríe pero… detrás de Paula entra Rubén, el hijo del pescador. Jorge le dice:

—Lo siento, pero usted no puede entrar. Esta fiesta es para clientes del hotel.

42 *Engañar:* no decir la verdad.

43 *Zapatos de tacón:* zapatos altos.

44 *Mojito:* bebida típica de Cuba que lleva ron, zumo de limón, agua, hielo, azúcar y una rama de hierbabuena.

—Este chico es mi amigo, viene conmigo —dice Paula.

—Lo siento, pero él no tiene invitación —dice Jorge, celoso.

—La invitación es para dos personas. Lo dice aquí —Paula le da la invitación.

—Es para dos personas, sí: para dos clientes del hotel —dice Jorge.

—Él es mi pareja de baile —Paula mira a Jorge muy seria—. Si él no entra, yo tampoco entro.

Marina baila salsa con Juan, su pareja de baile. Los dos se divierten mucho.

—¿Cuándo vienes a México? —Juan sonríe.

—¿Cuándo vienes tú a España? —pregunta Marina divertida—. El avión de España a México es un poco caro, pero... ¡puedo ganar un sorteo!

Y Marina habla de Fitur, la Feria Internacional del Turismo en Madrid, y de su buena suerte: está en La Habana, en ese salón y baila con él porque es la ganadora de un sorteo. Los dos se ríen. Marina mira a Paula. Su amiga baila con Rubén, el pescador cubano. Rubén baila muy bien, y Paula sonríe. Pero Marina ve que Paula mira todo el tiempo a Jorge. Jorge baila con las señoras de la clase de salsa y con las camareras del hotel. Todas se ríen con él.

Marina y Paula tienen sed. Van a la barra a pedir agua. Y Jorge va detrás de ellas.

—¡Paula! ¿Por qué no bailas conmigo? —Jorge no entiende nada.

—¿Por qué no bailas con tu novia? —contesta Paula—. Baila muy bien: es bailarina profesional.

Jorge está blanco. No dice nada. El camarero sirve dos vasos de agua, ellas los cogen y se van.

—¡Paula! Por favor —Jorge coge la mano de Paula—. Yo estoy enamorado de ti.

—¿A todas las alumnas les dices que estás enamorado?

—A todas no, a ti. Pero yo sé que nuestro amor es imposible, porque tú te vas mañana.

—Sí, nuestro amor es imposible. Adiós, Jorge —dice muy seria Paula.

—Paula, por favor. Esta es nuestra última noche —dice Jorge muy triste.

Paula corre a la terraza. Marina va a la terraza y se sienta con Paula. Su amiga está muy triste.

—Paula, ¿por qué no bailas una canción con Jorge? Para despedirte de él. Y para tener un recuerdo bonito. Vuestra historia es imposible pero bonita.

—Marina, eres una buena amiga.

Paula abraza a Marina y corre al gran salón. Marina entra: sus padres, su hermano, sus amigas colombianas, Juan, Pilar, Ramón, Rubén, todos bailan y se divierten. Y los músicos tocan canciones alegres. ¡Está en La Habana! Y la vida es bonita. Marina sonríe y empieza a bailar.

14

OTOÑO EN MADRID

OTOÑO

El otoño es muy agradable en Madrid. En septiembre no hace el calor del verano, pero hace sol.

Después de las vacaciones, los madrileños vuelven a su vida en la ciudad. Por las mañanas, en el barrio de Palacio, la gente camina rápido para ir al trabajo, los niños vuelven a la escuela, los estudiantes entran con sus mochilas en el metro, o esperan en las paradas de los autobuses para ir al instituto o a la facultad.

Paco desayuna en la cocina y mira su cuaderno de dibujo: Carmen canta en el Malecón de La Habana, Carmen camina por el Malecón, Carmen sonríe, Carmen...

—¡Esa soy yo! —Carmen entra en la cocina y se sirve un café con leche.

Lucas sale de la ducha, se viste rápido y va a la cocina.

—¡Hoy llego tarde a la facultad! Me voy —les dice a sus padres—. ¿Qué miráis?

—Los dibujos de La Habana —dice Paco.

—Son muy buenos, papá —Lucas mira los dibujos—. Y tú estás muy guapa, mamá.

Marina entra en pijama en la cocina. Hoy no tiene clase por la mañana.

—Mamá, qué guapa estás aquí. Pero esto no es el Malecón —dice Marina mirando un dibujo.

—No. Es la noche de la fiesta de despedida —Paco sonríe.

Y en ese momento, los cuatro recuerdan aquella noche y viajan a La Habana:

Paula y Jorge bailan. La canción termina y se dicen adiós para siempre. Los músicos tocan una canción lenta, romántica, y una voz de mujer canta. Marina oye la voz. Es una voz familiar. Mira a los músicos y ¡ve a su madre con ellos! Lucas les dice a sus amigas colombianas: «¡Esa es mi madre!» Y Paco escucha a su mujer y dibuja en su cuaderno.

Y Carmen canta «Yolanda» con los músicos. Y los músicos sonríen porque Carmen canta muy bien y tiene una voz muy bonita. Para Carmen esa canción es ahora una canción de amor a La Habana. Y todos, familia, amigos, clientes y músicos cantan con ella:

«Te amo, te amo, eternamente, te amo».

ACTIVIDADES

1. FITUR

1. ¿A quién se refiere la siguiente información? Escribe el nombre de uno de los miembros de la familia Fernández: Paco, Carmen, Lucas o Marina.

1. Tiene veinte años: ....
2. Estudia en la universidad: ....
3. Va al instituto: ....
4. Tiene diecisiete años: ....
5. Es dibujante: ....
6. Tiene cincuenta años: ....
7. Trabaja en un despacho de abogados: ....
8. Tiene cuarenta y ocho años: ....

2. ¿Verdadero o falso?

	V	F
1. Fitur es una feria internacional de turismo.	☐	☐
2. Los Fernández van todos los años a Fitur.	☐	☐
3. Paco va al puesto de Vietnam para comer.	☐	☐
4. En el puesto de México bailan salsa.	☐	☐
5. Marina escribe sus datos para un sorteo.	☐	☐
6. Marina quiere viajar con Lucas si gana.	☐	☐
7. Carmen piensa que es fácil ganar el sorteo.	☐	☐
8. Marina piensa que no es imposible ganar.	☐	☐

¿Cuál es tu país favorito?
¿Te gusta viajar con tu familia?

2. UN VIAJE PARA DOS A LA HABANA

1. Completa las descripciones de Lucas y de Marina.

alto – Biología – estudiar – padre – deporte – rizado – salsa – teatro – verdes – amigos

LUCAS: Estudia tercero de (1).............. en la Universidad Complutense de Madrid. Le gustan los libros, las bibliotecas, el (2).............. y las chicas. Es un chico guapo, (3).............., delgado, de ojos (4).............. y pelo liso y castaño, como su madre. Los sábados corre en el parque del Retiro con sus (5)..............

MARINA: No le gusta (6).............., pero le gusta bailar (7).............., dibujar y hacer (8).............. en el instituto. Se parece a su (9).............. y es una chica atractiva. Tiene una sonrisa simpática y el pelo muy bonito: largo, (10).............. y castaño.

2. Completa el resumen del capítulo con la información que falta.

Marina estudia en su habitación (1)............................, pero no le gusta estudiar y (2).............................. y empieza a bailar. Lucas entra en su habitación y ve a su hermana que (3)................................

Lucas y los padres de Marina se ríen de ella. Lucas le da una carta a Marina (4)...................................... sobre los cursos de verano. Suena el teléfono y Lucas responde. Lucas le dice a Marina que (5)...................... del viaje a Cuba. El premio de Marina es un viaje (6)................................ durante nueve días en La Habana. Lucas quiere ir de viaje con Marina, pero ella no quiere ir con él, (7).......................... Los Fernández piensan y hablan mucho sobre la posibilidad de viajar juntos a Cuba. Finalmente (8).................................... a La Habana.

a. prefiere ir con su madre o con su padre
b. para un examen de Historia que tiene el martes
c. deciden ir los cuatro de vacaciones
d. piensa en Cuba
e. para dos personas con pensión completa
f. de la escuela de salsa con información
g. baila con los ojos cerrados
h. es la ganadora del sorteo

Imagina que ganas un viaje para dos personas a Cuba, ¿con quién viajas? ¿Por qué?

3. UN PASEO POR LA HABANA

1. Lee las siguientes informaciones sobre este capítulo. Hay tres que no son verdad. Márcalas con una ✗.

1. El vuelo a La Habana dura más de diez horas. ☐
2. Cuando los Fernández llegan al hotel, se ponen ropa cómoda y salen de paseo. ☐
3. Los Fernández no llevan un mapa de la ciudad. ☐
4. Pasean por La Habana Vieja y hacen muchas fotos. ☐
5. Paco quiere comer en un restaurante. ☐
6. Carmen y Marina vuelven al hotel para comer y descansar. ☐
7. Un cubano acompaña a Lucas y a su padre a un restaurante. ☐
8. Paco y Lucas se encuentran después por la tarde con Carmen y Marina en el hotel. ☐

2. Relaciona la información de las dos columnas.

1. La Habana Vieja	a. el atardecer al Malecón.
2. Lucas está muy guapo con	b. es una buena viajera.
3. Los Fernández pasean durante tres horas y	c. es el barrio turístico de la ciudad.
4. Lucas tiene hambre y quiere	d. en el hotel.
5. La gente de La Habana por la tarde va a ver	e. los pantalones blancos y la camisa verde.
6. Hoy Carmen y Marina comen	f. un cubano que fuma un gran puro.
7. Paco, Carmen y Lucas piensan que Marina	g. comer un bocadillo.
8. Lucas y Paco se van por la calles de La Habana Vieja con	h. están cansados.

Cuando viajas, ¿pides información a la gente local o la buscas en una guía?

4. CLASES DE SALSA

1. Ordena la primera parte de este capítulo.

1	2	3	4	5	6
c					

a. en el ascensor. En el último momento
b. El chico las saluda, pero
c. Marina y Carmen salen del comedor del hotel y entran
d. le gusta mucho el chico y está nerviosa.
e. entra un chico guapo de ojos azules.
f. Marina no dice nada porque

2. ¿Verdadero o falso?

	V	F
1. Después de comer, Marina va a su habitación.	☐	☐
2. Marina quiere ir a clases de salsa todos los días.	☐	☐
3. Las clases de salsa empiezan hoy.	☐	☐
4. El chico guapo del ascensor se llama Jorge.	☐	☐
5. Jorge también va a las clases de salsa.	☐	☐
6. Marina no quiere ir al Malecón.	☐	☐
7. Carmen piensa que su hija quiere quedarse en el hotel porque está cansada.	☐	☐
8. Marina quiere estar guapa para Juan.	☐	☐

¿Crees que Marina está enamorada? ¿Crees que es posible el amor a primera vista?

5. EL PROFESOR DE SALSA

1. Termina las frases.

1. Antes de empezar la clase, Marina quiere cambiarse de ropa, pero ....
2. La mayoría de los alumnos son ....
3. Marina piensa que el profesor es ....
4. Pero, en realidad, el profesor es ....
5. A Juan le gusta Marina, pero a ella le gusta ....
6. Jorge no baila con Marina porque piensa que ella ....

2. Lee las siguientes informaciones. Hay tres que no son verdad. Márcalas con una ✗.

1. Todo el mundo piensa que Marina baila muy mal. ☐
2. Marina está incómoda porque lleva ropa de fiesta. ☐
3. Marina piensa que Juan es guapo. ☐
4. Juan no sabe bailar salsa. ☐
5. Marina y Juan bailan juntos, pero Marina prefiere bailar con Jorge. ☐
6. Marina sale de la clase porque está muy cansada. ☐
7. Jorge y Marina bailan hasta las ocho. ☐
8. Marina no se despide de Juan. ☐

Después de leer este capítulo, ¿crees que Marina está contenta o triste? ¿Y cómo crees que se siente Juan? ¿Por qué?

6. LOS GÓMEZ

1. Ordena lo que sucede en este capítulo.

1	2	3	4	5	6	7	8
b							

a. Los Fernández se encuentran con los Gómez en el autobús.
b. Los Fernández desayunan en el comedor del hotel.
c. Marina no quiere ir de excursión porque Cienfuegos está muy lejos y no puede ir a su clase.
d. Marina le dice a Paula que está enamorada del profesor de salsa.
e. Lucas se hace amigo de dos chicas colombianas y cena con ellas en el hotel.
f. Paula decide que también va a ir a las clases de salsa con Marina.
g. Marina conoce a Paula y se sientan juntas en el autobús que va a Cienfuegos.
h. Marina le habla a Paula de las clases de salsa.

2. ¿Quién lo dice o lo piensa: Marina, Paco, Liliana y Sandra, Paula o Lucas?

1. «Hoy vamos a Cienfuegos. Una ciudad que está a doscientos cincuenta kilómetros de La Habana»: ....
2. «No quiero ir a Cienfuegos. Quiero ir a mis clases de salsa»: ....
3. «Hoy no vas a las clases de salsa»: ....
4. «¡Qué bien! ¡Ahora tengo una amiga en La Habana!»: ....
5. «¿Por qué no vamos mañana por la tarde al Malecón?»: ....
6. «¿Por qué no vienes mañana conmigo a la clase de salsa?»: ....
7. «No sé bailar salsa»: ....
8. «Juan es mi pareja de baile»: ....
9. «Mañana voy contigo a la clase de salsa»: ....
10. «En nuestro país las chicas no salen solas por la noche»: ....
11. «¡Qué bien! ¡Ahora tengo dos amigas en La Habana!»: ....
12. «Estoy enamorada de mi profesor de salsa»: ....

¿Por qué crees que Marina le dice a Paula que está enamorada de Jorge?

7. LA ALUMNA NUEVA

1. Relaciona la información de las dos columnas.

1. Paula quiere ser la pareja de baile	a. está enamorada de Jorge.
2. Juan está triste porque sabe que	b. de Juan.
3. Jorge baila con	c. a las ocho y cuarto.
4. Marina piensa que Juan sabe que	d. le gusta Jorge.
5. Hoy terminan la clase	e. Paula durante toda la clase.
6. Marina cree que a Paula	f. Marina no quiere bailar con él.

2. Lee las siguientes informaciones. Hay tres que no son verdad. Márcalas con una X.

1. Juan no quiere ser la pareja de baile de Paula. ☐
2. Marina quiere bailar sola. ☐
3. En la clase hay gente de muchas nacionalidades. ☐
4. El grupo de la clase es muy simpático con Paula. ☐
5. Jorge baila con Paula porque no quiere bailar con Marina. ☐
6. Marina no quiere bailar con Jorge. ☐
7. A Jorge le gusta mucho bailar con Paula. ☐
8. Marina sale muy seria de la clase de baile porque piensa que a Paula le gusta Jorge. ☐

REFLEXIÓN

¿Por qué crees que Jorge baila con Paula hasta las ocho y cuarto? ¿Crees que a Paula le gusta Jorge?

8. UN PASEO POR EL MALECÓN

1. Completa las frases sobre este capítulo. A todas les falta una palabra.

1. Lucas está con sus amigas colombianas en Santiago de Cuba y vuelve esta ....
2. Hoy no hay clase de salsa porque hay una ....
3. Marina no sabe dónde está ....
4. Paco, Carmen y Marina van al Malecón, una avenida muy larga al lado del ....
5. A la madre de Marina le gusta cantar en el Malecón canciones de ....
6. En el Malecón, a Paco le gusta ....
7. Marina ve a Paula y a Jorge que pasean muy ....
8. Paula ve a Marina y camina rápido sin ....

2. Ordena el contenido de los ocho primeros capítulos cronológicamente.

Capítulo	1	2	3	4	5	6	7	8
	c							

a. Marina se apunta a las clases de salsa y se enamora de un chico cubano.
b. Marina va a Cienfuegos y conoce a Paula.
c. Los Fernández van a Fitur y Marina participa en un sorteo para un viaje a Cuba
d. Marina ve a Paula con Jorge en el Malecón.
e. Marina gana el viaje a Cuba para dos personas.
f. Los Fernández llegan a La Habana.
g. Marina conoce a Juan y baila con su profesor de salsa.
h. Paula baila con Jorge durante toda la clase.

¿Qué crees que hace Marina después de ver a Paula con Jorge en el Malecón?

9. LA NOVIA DE JORGE

1. ¿Verdadero o falso?

		V	F
1.	Marina vuelve al hotel muy triste.	☐	☐
2.	Marina le dice a Paula que está muy enfadada.	☐	☐
3.	Marina entiende a Paula.	☐	☐
4.	Marina va con sus padres a una discoteca.	☐	☐
5.	Marina descubre que Jorge tiene novia.	☐	☐
6.	Marina le dice a Paula que Jorge tiene novia.	☐	☐
7.	Paula piensa que Marina es una buena amiga.	☐	☐

2. Completa el resumen con la información de la página siguiente.

Marina está triste y enfadada porque Paula (1)................., pero después de hablar con su madre, (2)..................... Entonces decide hablar con su amiga y decirle que (3)............ Paula le dice que Jorge también (4)............... Marina está muy contenta por ella. Esa noche, Marina (5)................ a una discoteca. En la discoteca ve a Jorge que baila con una chica mulata. Liliana le dice que (6)................. de Jorge. Cuando vuelven al hotel, Marina quiere (7)..............., pero no está segura. Finalmente, decide hablar con Paula, pero Paula se enfada con ella porque piensa que (8)..................

a. va con Lucas y sus amigas colombianas
b. sale con Jorge
c. está enamorado de ella
d. decirle a Paula lo que sabe
e. Marina tiene celos
f. no está enfadada
g. entiende que Paula también está enamorada
h. la chica mulata es la novia

Imagina que estás en la situación de Marina, ¿le dices a tu amigo o a tu amiga lo que sabes? ¿Crees que Marina es buena amiga de Paula?

10. VARADERO

1. Completa las frases con la opción correcta.

1. Las amigas de Lucas son muy
   a. aburridas. b. simpáticas. c. antipáticas.
2. A Lucas le
   a. gusta Liliana. b. gusta Sandra. c. gustan las dos.
3. Paco y Carmen están preocupados porque
   a. Marina está enamorada. b. Lucas no tiene novia.
   c. Paula está enfadada con Marina.
4. Marina piensa que Juan está enfadado
   a. con ella. b. con Paula. c. con sus padres.
5. Marina no quiere ir a sus clases de salsa
   a. y Juan tampoco. b. pero Juan sí. c. con Juan.
6. Juan y Marina van a Varadero a
   a. a la playa a bañarse. b. pescar. c. bucear.

2. ¿Qué sabes sobre Varadero? Puedes buscar más información en internet.

3. Lee las siguientes informaciones. Hay tres que no son verdad. Márcalas con una X.

1. Lucas, Liliana y Sandra van con Juan y Marina a Varadero. ☐
2. Rubén es un chico cubano que tiene veinte años. ☐
3. El bote de Rubén es pequeño pero caben los seis. ☐
4. Rubén es tranquilo y alegre. ☐
5. En el bote todos cantan una canción tradicional cubana. ☐
6. Rubén bucea con el grupo y les enseña los peces tropicales y el coral. ☐
7. Bajo el agua los cinco amigos descubren una ciudad submarina de colores. ☐
8. Marina piensa en su amiga Paula. ☐

REFLEXIÓN

¿Crees que Marina está contenta? ¿Por qué?

11. NOCHE DE SALSA

1. ¿Quién o quiénes?

Marina – los padres de Paula – Carmen
Jorge – todos – Paula

1. Tiene un plan: ....
2. Piensa que no es buena idea cenar con los Gómez: ......
3. Cenan en un restaurante cubano: ....
4. No saben que su hija está enfadada con Marina: ....
5. No habla con Marina: ....
6. Cogen un taxi para ir a la discoteca: ....
7. Baila con una chica mulata: ....
8. Ve a Jorge que besa a una chica: ....
9. Vuelven al hotel: ....
10. Llama a la puerta de Marina: ....

2. Completa el resumen con la información que falta.

Los Fernández y (1)................. a un restaurante tradicional cubano. Marina piensa que (2)................. porque Paula está enfadada con ella. Durante la cena, Paula habla con Lucas y con sus amigas colombianas, pero (3)..................... Después de tomar el postre y los cafés, (4).................... a una discoteca. Cuando los Fernández llegan, los Gómez están sentados en una mesa con Lucas y sus amigas (5).................. Marina ve que Paula está blanca porque (6).................. Paula quiere ir a saludar a Jorge, pero en ese momento Jorge besa a la chica y Paula (7)..................... Todos deciden volver al hotel. Cuando Marina está en su habitación, Paula llama a su puerta. Marina abre y Paula (8) ....

a. vuelve a la mesa con sus padres
b. no es una buena idea
c. y se sientan con ellos
d. no habla con Marina
e. los Gómez van a cenar juntos
f. la abraza y empieza a llorar
g. todos van en taxi
h. Jorge baila con una chica mulata

¿Qué crees que es más importante para Paula ahora: la amistad o el amor? ¿Por qué?

12. UN DÍA DE PESCA

1. Relaciona las frases de la izquierda con las de la derecha.

1. Paula duerme en
2. Juan, Marina y Paula cogen el autobús
3. Llevan bañadores, toallas, cremas para el sol
4. Paula está triste, pero
5. Marina y Juan bucean y
6. El padre de Rubén cocina el pescado y

a. y las gafas y tubos para bucear.
b. ellos se lo comen con las manos.
c. la habitación de Marina.
d. Paula se queda en el bote con Rubén.
e. a Varadero a las diez de la mañana.
f. no quiere pensar en Jorge.

2. Completa las frases con las preposiciones que faltan: *a, con, por, para, en, de.*

1. .... la mañana Paula vuelve .... su habitación
2. Las dos amigas quedan .... las diez .... ir .... la playa.
3. El autobús llega .... Varadero y los amigos bajan.
4. Rubén los espera .... el bote de pesca.
5. El chico cubano saluda .... los tres españoles .... la mano.
6. .... el bote, Juan y Marina cantan «Chan chan» .... Rubén.
7. Paula mira el mar .... ojos tristes.
8. Después de pescar, los cuatro jóvenes van ...... casa ...... Rubén ...... dos peces grandes.

REFLEXIÓN

¿Crees que Paula y Marina son amigas ahora?
¿Y Juan y Marina?

13. FIESTA DE DESPEDIDA

1. Completa las frases sobre este capítulo.

1. El recepcionista le da a Paula un ....
2. Paula y Marina vuelven a España el ....
3. El sábado por la noche en el hotel hay una fiesta de ....
4. En la puerta del salón del hotel Jorge pide las ....
5. Marina le cuenta a Juan que está en La Habana porque es la ganadora de un ....
6. Paula le dice a Jorge que su amor es ....

2. ¿Verdadero o falso?

		V	F
1.	Paula y Marina están contentas después de su día de pesca.	☐	☐
2.	Paula está tranquila cuando lee el mensaje de Jorge.	☐	☐
3.	Los Fernández vuelven a España el mismo día que los Gómez.	☐	☐
4.	Paula está enamorada de Jorge.	☐	☐
5.	El sábado por la noche hay una fiesta de despedida en el hotel.	☐	☐
6.	Lucas entra en la fiesta con Paula y con su hermana.	☐	☐
7.	Paula entra en la fiesta con Jorge.	☐	☐
8.	Jorge no quiere dejar entrar a Paula con Rubén.	☐	☐
9.	Marina baila salsa con Jorge y se divierte mucho.	☐	☐
10.	Rubén no baila muy bien, pero Paula está contenta.	☐	☐
11.	Paula cree que Jorge está enamorado de ella.	☐	☐
12.	Paula baila con Jorge.	☐	☐

REFLEXIÓN

¿Crees que Marina va a tener contacto con Paula en España? ¿Crees que Paula va a pensar mucho en Jorge en España?

14. OTOÑO EN MADRID

1. Relaciona las frases de la izquierda con las de la derecha.

1. El otoño es muy
2. En septiembre no hace el calor
3. Después de las vacaciones, los madrileños
4. Por las mañanas, la gente camina
5. Los estudiantes entran
6. Los estudiantes esperan en las paradas de autobuses

a. rápido para ir al trabajo.
b. para ir al instituto o a la facultad.
c. agradable en Madrid.
d. con sus mochilas en el metro.
e. vuelven a su vida en la ciudad.
f. del verano, pero hace sol.

2. Completa el resumen con la información que falta.

Los Fernández desayunan y (1)...................... Todos piensan que Carmen (2)................. en los dibujos de La Habana y (3)..................: Paula y Jorge bailan y cuando (4)................. se dicen adiós para siempre. Después Carmen (5)................. muy famosa y muy bonita con los músicos y Paco la dibuja. Todos, familia, amigos, clientes y músicos (6)................. con Carmen.

a. canta una canción cubana
b. miran los dibujos de Paco
c. recuerdan su última noche
d. está muy guapa
e. cantan la canción
f. termina la canción

REFLEXIÓN

¿Te gusta el final de esta historia?
¿Sabes más español ahora? ¿Sabes más cosas sobre Cuba después de leer esta historia?

SOLUCIONES

1. FITUR

1. 1. ▸ Lucas 2. ▸ Lucas 3. ▸ Marina 4. ▸ Marina 5. ▸ Paco 6. ▸ Paco 7. ▸ Carmen 8. ▸ Carmen
2. 1. ▸ V 2. ▸ V 3. ▸ F 4. ▸ F 5. ▸ V 6. ▸ F 7. ▸ F 8. ▸ V

2. UN VIAJE PARA DOS A LA HABANA

1. (1) ▸ Biología (2) ▸ deporte (3) ▸ alto (4) ▸ verdes (5) ▸ amigos (6) ▸ estudiar (7) ▸ salsa (8) ▸ teatro (9) ▸ padre (10) ▸ rizado
2. 1. ▸ b 2. ▸ d 3. ▸ g 4. ▸ f 5. ▸ h 6. ▸ e 7. ▸ a 8. ▸ c

3. UN PASEO POR LA HABANA

1. 1, 3 y 8
2. 1. ▸ c 2. ▸ e 3. ▸ h 4. ▸ g 5. ▸ a 6. ▸ d 7. ▸ b 8. ▸ f

4. CLASES DE SALSA

1. 1. ▸ c 2. ▸ a 3. ▸ f 4. ▸ b 5. ▸ g 6. ▸ d
2. 1. ▸ V 2. ▸ V 3. ▸ V 4. ▸ V 5. ▸ V 6. ▸ V 7. ▸ F 8. ▸ F

5. EL PROFESOR DE SALSA

1. 1. ▸ no tiene tiempo 2. ▸ mayores 3. ▸ Juan 4. ▸ Jorge 5. ▸ Jorge 6. ▸ baila muy bien
2. 1, 3 y 6

6. LOS GÓMEZ

1. 1. ▸ b 2. ▸ c 3. ▸ a 4. ▸ g 5. ▸ h 6. ▸ f 7. ▸ e 8. ▸ d

2. 1. ▸ Paco 2. ▸ Marina 3. ▸ Paco 4. ▸ Paula 5. ▸ Paula 6. ▸ Marina 7. ▸ Paula 8. ▸ Marina 9. ▸ Paula 10. ▸ Liliana y Sandra 11. ▸ Lucas 12. ▸ Marina

7. LA ALUMNA NUEVA

1. 1. ▸ b 2. ▸ f 3. ▸ e 4. ▸ a 5. ▸ c 6. ▸ d
2. 2, 5 y 6

8. UN PASEO POR EL MALECÓN

1. 1. ▸ tarde 2. ▸ boda 3. ▸ Paula 4. ▸ mar 5. ▸ amor 6. ▸ dibujar 7. ▸ alegres 8. ▸ mirar
2. 1. ▸ c 2. ▸ e 3. ▸ f 4. ▸ a 5. ▸ g 6. ▸ b 7. ▸ h 8. ▸ d

9. LA NOVIA DE JORGE

1. 1. ▸ V 2. ▸ F 3. ▸ V 4. ▸ F 5. ▸ V 6. ▸ V 7. ▸ F
2. 1. ▸ b 2. ▸ g 3. ▸ f 4. ▸ c 5. ▸ a 6. ▸ h 7. ▸ d 8. ▸ e

10. VARADERO

1. 1. ▸ b 2. ▸ c 3. ▸ c 4. ▸ a 5. ▸ a 6. ▸ c
2. Varadero está a ciento treinta kilómetros de La Habana. Es el lugar más turístico de Cuba porque tiene veintidós kilómetros de playa, hoteles de cuatro y cinco estrellas, restaurantes, discotecas y bares. Las playas de Varadero son de arena blanca y el mar es de color azul y verde. Los turistas van a Varadero para estar en la playa y practicar deportes como el buceo o la pesca. También hay campos de golf.
3. 2, 6 y 8

11. NOCHE DE SALSA

1. 1. ▸ Carmen 2. ▸ Marina 3. ▸ todos 4. ▸ los padres de Paula 5. ▸ Paula 6. ▸ todos 7. ▸ Jorge 8. ▸ Paula 9. ▸ todos 10. ▸ Paula
2. 1. ▸ e 2. ▸ b 3. ▸ d 4. ▸ g 5. ▸ c 6. ▸ h 7. ▸ a 8. ▸ f

12. UN DÍA DE PESCA

1. 1. ▸ c 2. ▸ e 3. ▸ a 4. ▸ f 5. ▸ d 6. ▸ b
2. 1. ▸ Por/a 2. ▸ a/para/a 3. ▸ a 4. ▸ en
   5. ▸ a/con 6. ▸ En/con 7. ▸ con 8. ▸ a/de/con

13. FIESTA DE DESPEDIDA

1. 1. ▸ mensaje 2. ▸ domingo 3. ▸ despedida 4. ▸ invitaciones
   5. ▸ sorteo 6. ▸ imposible
2. 1. ▸ V 2. ▸ F 3. ▸ V 4. ▸ V 5. ▸ V 6. ▸ F
   7. ▸ F 8. ▸ V 9. ▸ F 10. ▸ F 11. ▸ F 12. ▸ V

14. OTOÑO EN MADRID

1. 1. ▸ c 2. ▸ f 3. ▸ e 4. ▸ a 5. ▸ d 6. ▸ b
2. 1. ▸ b 2. ▸ d 3. ▸ c 4. ▸ f 5. ▸ a 6. ▸ e